Para Eric Shawn y Brian Matthew

Originally published in English as *Clifford's Tricks*.

No part of this publication may be reproduced in whole or in part, or stored in a retrieval system, or transmitted in any form or by any means, electronic, mechanical, photocopying, recording, or otherwise, without written permission of the publisher. For information regarding permission, write to Scholastic, Inc., 90 Old Sherman Turnpike Danbury, CT., 06816

Published by Scholastic. Inc., 90 Old Sherman Turnpike, Danbury, CT., 06816

ISBN: 0-439-91158-3

First Scholastic printing, October 2006

NORMAN BRIDWELL
Los Trucos De
Clifford®

Cuento e ilustraciones de NORMAN BRIDWELL
Traducido por Argentine Palacios

SCHOLASTIC INC.
New York Toronto London Auckland Sydney
Mexico City New Delhi Hong Kong Buenos Aires

¡Vaya! Una familia se acaba de mudar a la casa de
al lado. Y hay una niña que tiene un perro.

La niña me dijo un día—Hola. Me llamo Marta
y éste es mi perro, Bruno. Es un perro muy grande.

Yo le dije—Yo me llamo Emilia Isabel.

Éste es mi perro, Clifford. Él también es grande.

—Bueno—dijo Marta—puede que tu perro sea
un poquito más grande que Bruno,
pero apuesto a que Bruno es más inteligente.
Te voy a mostrar algunas de las cosas
que puede hacer.

Marta mandó a Bruno al quiosco
para que le trajera
un periódico.

Yo entonces mandé a Clifford a que me
trajera un periódico.

Marta dijo—Bruno se hace el muerto mejor que
cualquier perro que conozco. Lo hizo bastante bien,

pero no tan bien como Clifford.

"GUAU"

—Eso estuvo bastante bien—dijo Marta—.

Pero mira esto.

Marta dijo—Bruno, habla.

Bruno habló.

Yo no quería hacerlo,

pero Clifford no podía perder.

Así que le dije—Clifford, habla.

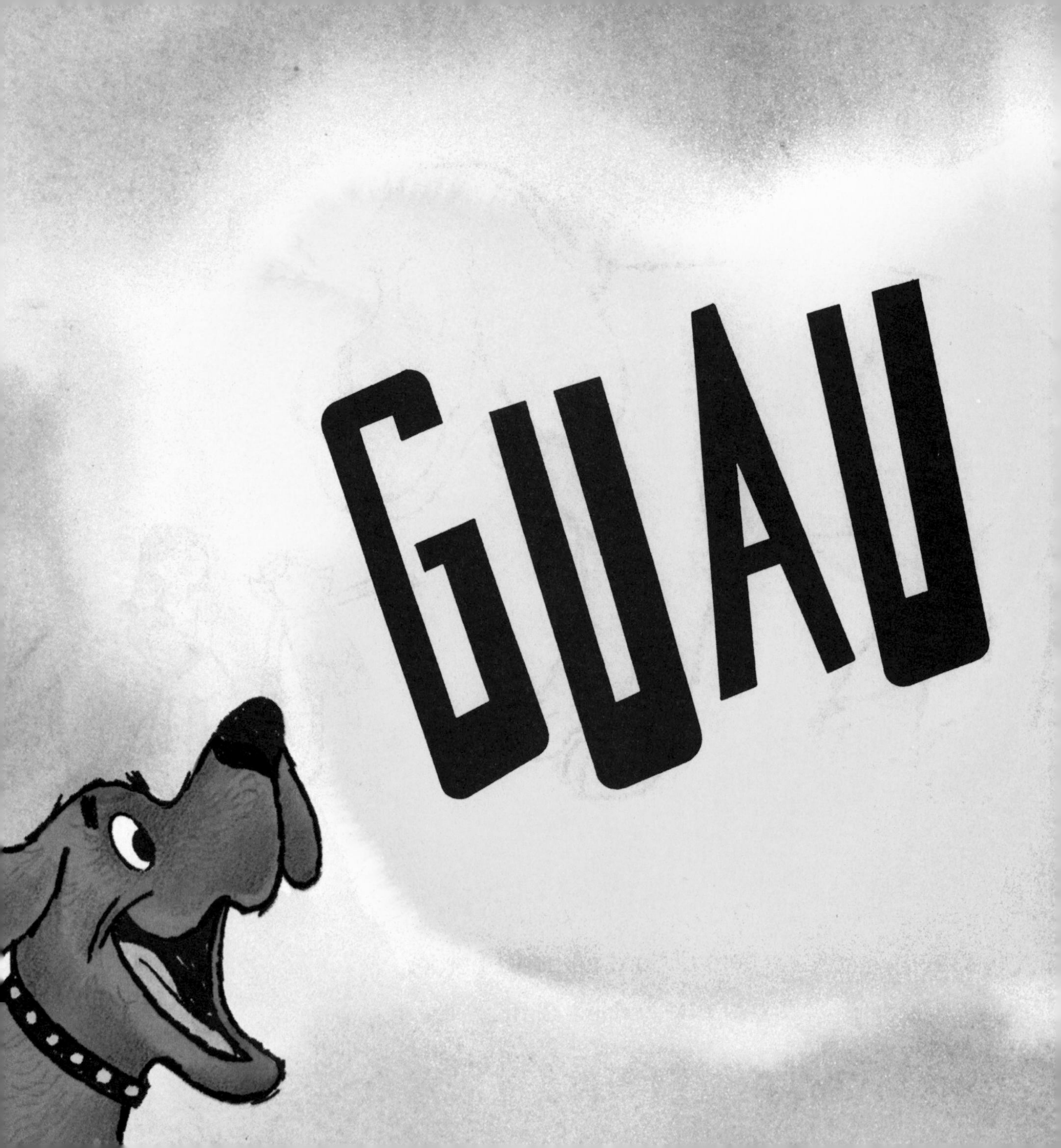
GUAU

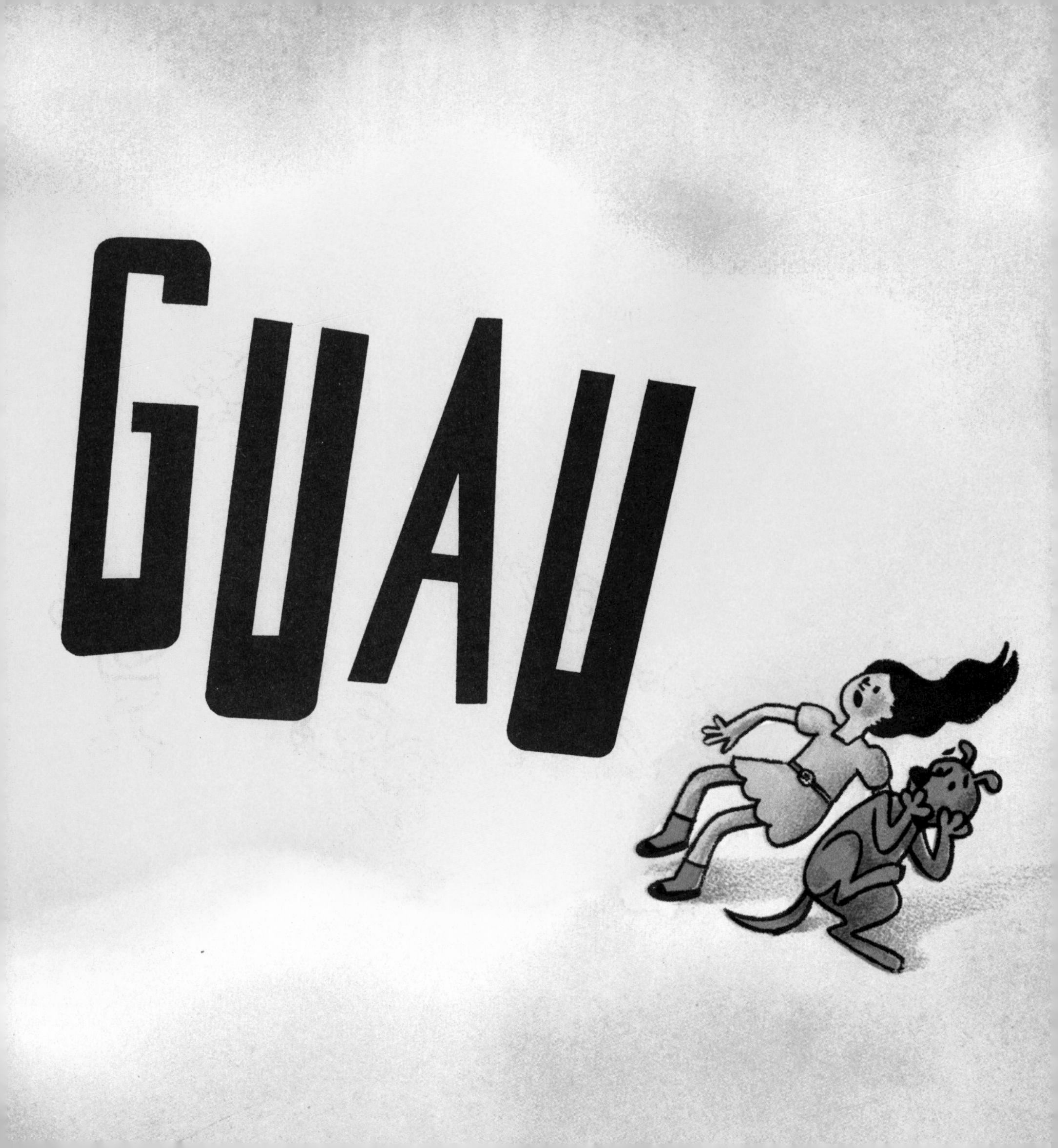
GUAU

Siempre hay gente
que se queja
por un pequeño ladrido.

Prometí a los policías que no dejaría
que Clifford ladrara otra vez. Les expliqué
que había sido un truco. Ellos querían que
hiciera otros trucos.

Por eso le dije que diera volteretas.

¡Oué metida de pata!

Decidimos dar una vuelta mientras los policías hablaban con mi papá sobre el coche.

Marta dijo—Tal vez Clifford sea un poquito más grande e inteligente que Bruno, pero apuesto a que no es más valiente que él.

Fuimos andando hasta el puente. —Te voy a demostrar lo valiente que es Bruno—dijo Marta.

Entonces le dijo a Bruno que caminara en la barandilla.

Pero Bruno era inteligente y no lo hizo.

Marta entonces cometió una grandísima tontería:
se subió a la barandilla para mostrarle a
Bruno que era muy fácil hacerlo.

Pero resbaló.

Bruno era valiente de verdad. Se tiró al agua para salvarla.

Pero no era lo suficientemente grande ni fuerte para ayudarla.

¡AUXILIO!   ¡AUXILIO!   ¡AUXILIO!

Fue Clifford quien los salvó. ¡Viva!

Los policías estaban tan contentos que perdonaron
a Clifford por haber destrozado el coche.

Marta dijo: —Gracias, Clifford. Tú eres el perro
más grande, más valiente y más inteligente que
conozco.

Ahora las dos sabemos cuál de los dos es el mejor.

La carrera artística de Norman Bridwell tomó impulso con la publicación de **Clifford, el gran perro colorado**. Treinta y siete años después y con muchos libros publicados, Norman Bridwell continua encantando a su público infantil. ¿Qué es lo que hace que Clifford sea irresistible? Norman Bridwell tiene una teoría sobre eso: "Pienso que el éxito de Clifford se debe a que no siempre es perfecto. Clifford siempre trata de hacer bien las cosas, pero a veces se equivoca." Norman Bridwell, que nació y se crió en Indiana, vive ahora en Edgartown, Massachusetts.